Pour l'édition française :
Traduction : Déborah Cixous
Rédaction : Renée Chaspoul et Nick Stellmacher

Les licornes

Illustrations : Peter Scott

Texte : Phillip Clarke
Maquette : Reuben Barrance

Images numériques : Keith Furnival

Les licornes

Il était une fois des licornes qui vivaient dans des forêts enchantées.

Quand un chasseur essayait d'en capturer une...

Une fois, le ruisseau de la forêt était empoisonné.

Les bébés licornes

Les licornes vivaient seules, mais elles se rassemblaient pour former une famille.

Les bébés licornes n'avaient pas de corne, mais une petite étoile brillait à sa place.

Apercevoir plusieurs licornes portait bonheur. Un groupe de licornes était appelé une bénédiction.

On dit que les licornes étaient très douces...

Le lion et la licorne

Selon les vieilles légendes, le lion et la licorne
voulaient tous deux régner sur la forêt.

Ouvre le livre ci-dessous
pour lire l'histoire de leur
bataille pour la couronne.

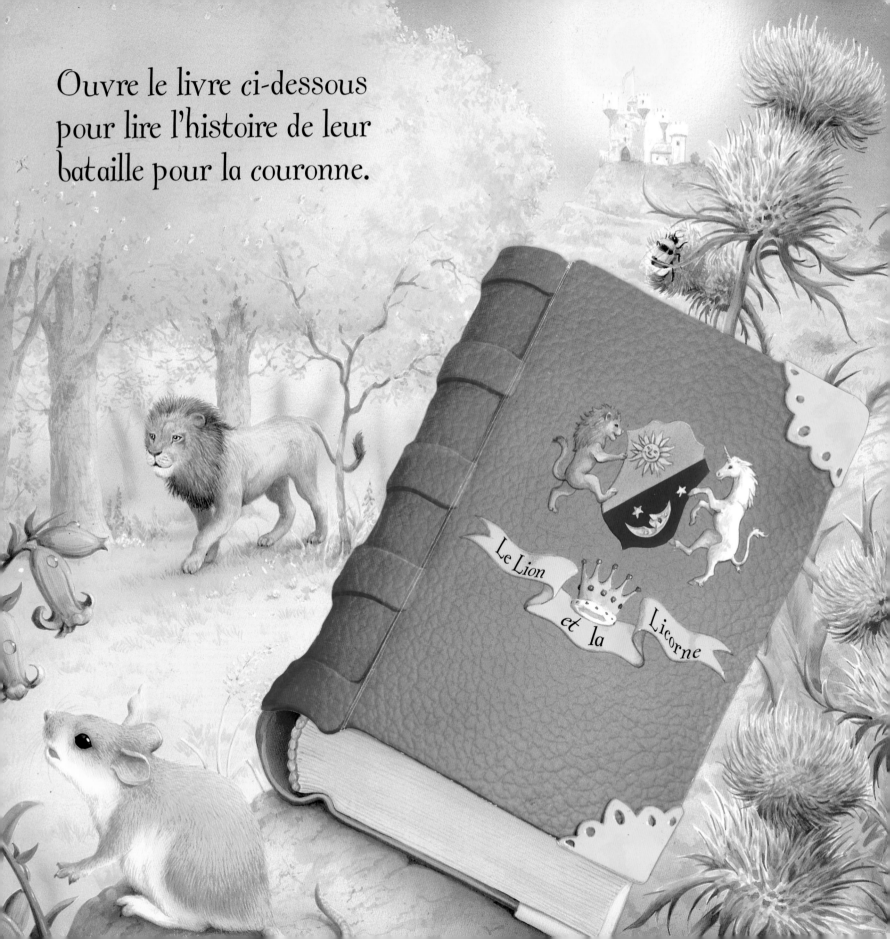

Le Lion et la Licorne

Les licornes volantes

On raconte que des licornes volantes
vivaient dans les montagnes d'Afrique.

Leurs énormes ailes blanches
brillaient comme la neige au
sommet des montagnes.

Grâce à leurs ailes couvertes de plumes,
ces licornes volaient comme des oiseaux.

Même le chasseur le plus rapide
ne pouvait les attraper. Elles se
jetaient du haut des falaises..

Les licornes du désert

Des légendes perses parlent d'une grande licorne sans poils appelée le karkadann.

Il hennissait et ruait
dans le désert sableux.

Seules les colombes
n'en avaient pas peur.
Elles descendaient même
chanter près de lui.

Le karkadann s'arrêtait pour
les écouter. Et lentement, mais
sûrement, il... s'endormait.

Les licornes chinoises

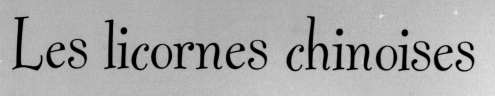

Les licornes des légendes chinoises avaient un poil soyeux et des écailles de dragon.

Certains racontaient que les licornes surgissaient du centre de la terre.

Les licornes des mers

Il y a des années, les marins ramenèrent des cornes prises sur des baleines comme celle-ci.

Mais certains pensaient qu'il devait y avoir des licornes dans la mer.

« Alors, à quoi ressemblent les licornes
des mers ? » se demandèrent-ils.

« Elles ont peut-être une queue
comme les sirènes...

et des écailles
luisantes comme
les poissons. »

La plupart des gens pensent que les licornes
sont une légende. Mais peut-être que, quelque
part au sommet des montagnes brumeuses
ou dans les grandes forêts, vit un animal
à la corne brillante...

Rédaction : Kirsteen Rogers